nard
gent

Tibili
le petit garçon qui ne voulait pas aller à l'école

Magnard
Jeunesse

Dépôt légal : janvier 2001
N° d'éditeur : 2007/338
Achevé d'imprimer en août 2007 en France par Pollina, 85400 Luçon - n° L44465

Tibili
est un petit
bonhomme
de six ans
qui rit
du matin au soir.

Il rirait
même
la nuit
s'il ne tombait
pas de sommeil
tellement
il court
et joue
toute
la journée.

3

Il ne s'arrête
guère que
pour manger
ou pour faire
les petites
tresses de
sa sœur, Kablé,
parce que
ses petits
doigts sont
très habiles
et que
sa sœur est
très coquette.

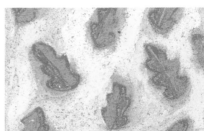

Un jour, pourtant, Tibili s'arrête de rire :

sa maman vient de lui apprendre
qu'il irait à l'école
à la prochaine rentrée des classes.

Tibili
ne
veut
pas
aller
à
l'école.

Il ne veut pas rester enfermé
dans une salle
de classe,

en face d'un tableau noir
triste,
triste,
comme l'ennui.

7

Tibili n'a pas besoin
de savoir lire
ni de savoir écrire.

8

Il préfère lire, comme son grand-père,
- pas sur du papier -
mais dans le ciel,
où le soleil chante le jour
et où la lune danse la nuit.

9

Il préfère lire
sur la terre
rouge
de la piste
où mille
bêtes de toutes
les couleurs
vont
et viennent,
dans tous
les sens,
sans être
obligées
d'aller
à l'école.

Il préfère rêver
sur la plage
qu'il pêche
un barracuda
(gros
comme ça),
qu'il enfourche
une gazelle
en pleine course
ou
qu'il se balance
avec les singes,
suspendu
aux lianes
de la forêt.

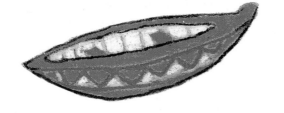

Tibili
ne veut pas
non plus
abandonner
son beau pagne,
rouge comme
un flamboyant,
pour revêtir
un uniforme
d'une couleur
si terne,
que s'il s'étendait
sur la plage,
on pourrait
le confondre
avec du sable
et lui marcher
dessus.

Alors Tibili est triste, triste

comme
les buffles
maigres
que les Peuhls
mènent
aux champs.

Comment faire,
mais comment faire

pour
ne pas aller
à l'école ?

Les lunes succèdent
aux lunes
et la rentrée des classes approche.

Il demande
à Pi-ou,
le lézard :

– Peux-tu
me dire
ce qu'il faut
que je fasse
pour ne pas
aller à l'école ?

16

– Je ne vois
qu'une solution,
répond Pi-ou,
tu n'as qu'à
te cacher
dans le trou
du fromager.
Le creux est
assez vaste
pour que
tu y sois
à l'aise.

Tibili pense
qu'il y restera
bien
un moment…
mais
tous les jours !

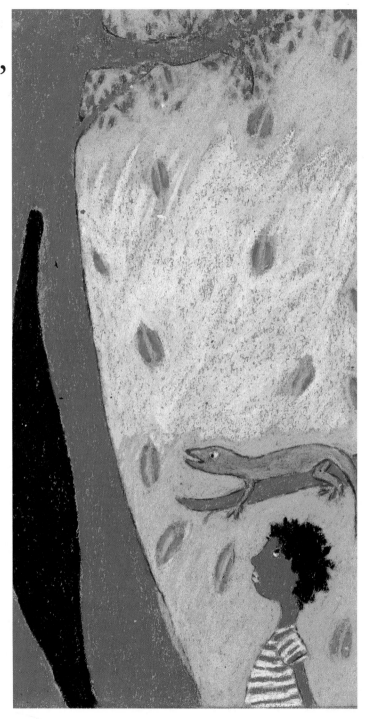

Il s'adresse à Koumi, la chauve-souris
qui médite sur sa branche.

Koumi lui dit :
– Quand viendra le jour
d'aller à l'école,
tu te coucheras,
tu te plaindras
en disant
que tu as très mal au ventre.

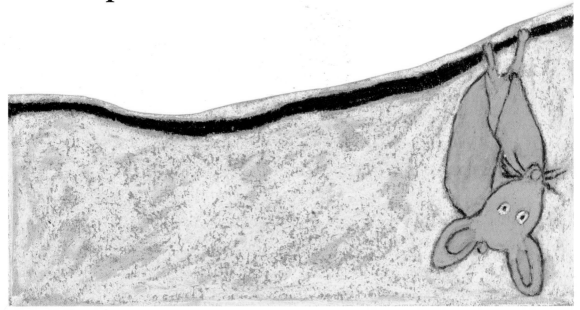

Tibili pense qu'il ne pourra jamais
faire semblant
d'avoir mal au ventre tous les jours.

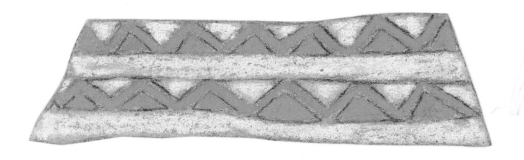

Et puis Tibili n'aime pas mentir
à sa maman.

Alors il interpelle
l'araignée
Crope
qui sait
toujours tout.

Crope lui dit :
– Je ne vois
qu'une chose :
c'est d'aller
chercher
le coffret
du savoir.

Il est enterré,
près du marigot,
entre le papayer
et le tamarinier.

… Tu verras
une grosse
pierre rouge,
tu la soulèveras,
tu gratteras
la terre
jusqu'à ce que
tu rencontres
un objet
très dur :
c'est le coffret
du savoir
Tu le prendras
avec précaution,
tu l'ouvriras
et tu trouveras
ce que tu
cherches.

21

Tibili court vite près du marigot
gratte la terre
entre le papayer et le tamarinier ;

il sent un objet très dur, le dégage.

C'est un coffret.
Il essaie de l'ouvrir, sans succès.

Son ennemie,
Kut-Kut,
la pintade,
lui crie de
son perchoir :
– Que fais-tu,
Tibili ?
– Je cherche
à ouvrir le coffret
du savoir.
– C'est bien
simple, tu n'as
qu'à lire
la plaque
qui se trouve
sous le coffret.
C'est tout
expliqué.

Tibili renverse le coffret,
baisse la tête tristement
et ne dit rien.

– Alors ? dit la pintade.
– Je ne sais pas lire.

– Tu ne sais pas lire ?
AH !
AH !
AH !
IL NE SAIT PAS LIRE,
crie-t-elle
à qui veut l'entendre.

IL NE SAIT PAS LIRE,
répètent les pintades.

IL NE SAIT PAS LIRE,
répond l'écho.

Tibili
replace
le coffret
dans
sa cachette,
le recouvre
de terre,
replace
la pierre
rouge
et s'en va.

27

Lorsqu'il est
hors de vue
des pintades,
il prend
ses jambes
à son cou,
regagne
sa case
et dit à
sa maman :

– Est-ce
bientôt
la rentrée
des classes ?

28